EL CORAJE DE SARAH NOBLE

Alice Dagliesh

EL CORAJE
DE SARAH NOBLE

NOGUER Y CARALT
EDITORES

Título original
The courage of Sarah Noble

© 1954 by Alice Dalgliesh and Leonard Weisgard
Publicado por acuerdo con
MacMillan Publishing Company, U.S.A.

© 1992, Noguer y Caralt Editores, S.A.
Santa Amelia 22, Barcelona

ISBN: 84-279-3462-9

Traducción: Amalia Bermejo

Cuarta edición: mayo 2000

Impreso en España - Printed in Spain
Misytac, S.L., Badalona
Depósito legal: B - 20768 - 2000

Para los niños de New Milford, que están orgullosos de Sarah Noble.

Nota de la Autora

Ésta es una historia verdadera, aunque he tenido que inventarme muchos de los detalles. Sarah Noble fue una niña real que, en 1707, acompañó a su padre y cocinó para él mientras éste construía la primera casa de New Milford. La mayor parte de los colonos de New Milford eran de Milford, Connecticut, pero John Noble procedía de Westfield, Massachusetts, y había comprado una parcela a uno de los hombres de Milford. La historia sucedió en Connecticut, pero podía haber sucedido en muchos otros lugares de América.

Historias como ésta, de fidelidad, de valor y de amistad, viven mucho tiempo en la memoria y se narran una y otra vez. Los colonos de New Milford hicieron un trato con los indios, justo para aquella época, y siempre tuvieron con ellos relaciones de amistad.

Algunas versiones de esta historia cuentan que John Noble dejó a Sarah con los indios mientras guiaba a unos hombres hasta Albany. Yo he preferido suponer que fue para buscar al resto de la familia; o, por lo menos, para encontrarse con ellos. Esto parece más posible.

Cuando Sarah se hizo mayor, fue profesora en la que sería, probablemente, la primera escuela de la ciudad. Y se casó, como en la historia dice que haría.

Las crónicas recogen también que Sarah conservó la amistad del indio alto que «la quería con el mismo amor que sentía hacia sus propios hijos».

«Las novelas no han reflejado nunca un retrato más perfecto y verídico del corazón de un padre, o del entrañable valor de una hija de tan sólo ocho años de edad, como el que encontramos en la historia del asentamiento de la primera familia en la bella ciudad de New Milford.»

Historia de las ciudades de New Milford y Bridgewater, Connecticut, 1703-1882 - SAMUEL ORCUTT

Capítulo 1
Noche en el bosque

SARAH descansaba bajo un árbol acostada sobre una manta. A su alrededor todo estaba oscuro; pero, entre las ramas, podía ver una estrella brillante. Su presencia resultaba tranquilizadora.

La noche de primavera era fresca y Sarah se arropó con su cálida capa. Aquello también resultaba tranquilizador. Pensó en su madre cuando la había envuelto en aquella capa, el día en que su padre y ella habían emprendido aquel largo y duro viaje.

—¡Ten valor! —le había dicho su madre, mientras abrochaba la capa por debajo de la barbilla de Sarah—. ¡Debes ser valiente, Sarah Noble!

En verdad Sarah necesitaba tener valor, porque su padre y ella iban a adentrarse en las tierras salvajes de Connecticut, para construir una casa.

Aquella era la primera noche que pasaban en el bosque. Las otras noches habían llegado a algún campamento. Thomas, el caballo marrón, estaba atado cerca de allí. Dormía de pie.

El padre de Sarah estaba sentado, apoyado contra un árbol, con el rifle sobre las rodillas. A veces, daba una cabezada, pero Sarah sabía que si le llamaba se despertaría. De pronto sintió una gran necesidad de oír su voz, aunque no pudiera ver su cara.

—¡Uh-uuh! —Un sonido muy extraño que venía de un árbol cercano.

—¿Padre?

—Un búho, Sarah. Te está dando las buenas noches.

Otro sonido más largo, más agudo; un

sonido aún más extraño, como si alguien se lamentara.

—¿Padre?

—Un zorro, Sarah. No es mayor que un perro. Está llamando a su pareja.

Sarah cerró los ojos e intentó dormir. De pronto se escuchó un sonido que le hizo abrirlos e incorporarse de un salto.

—¡PADRE!

—Sí, Sarah, es un lobo. Pero tengo el rifle, y estoy despierto.

—Padre, no puedo dormir. Cuéntame cosas de nuestra casa.

—¿Qué puedo contarte, Sarah?

—Lo que quieras, si es sobre nuestra casa.

Ahora el aullido del lobo se oía un poco más lejano.

—¿Recuerdas, Sarah, el día que llegué a casa para hablaros de la tierra que había comprado? Estabas meciendo al bebé en su cuna...

—Y el bebé no se dormía...

—Y tu madre dijo: «Sabes que no puedo llevar al bebé en un viaje tan largo. Es una niña tan pequeña... y no está muy fuerte.»

Sarah veía a su madre, menuda y preocupada, inclinada sobre la cuna, alborotando y cacareando como una gallina con su polluelo.

El lobo estaba más lejos, pero aún se le oía.

—Y tú dijiste...

—Yo dije: «Padre, yo iré contigo para prepararte la comida.»

—Fue una bendición que Dios me diese hijas, además de hijos —exclamó John Noble—. Y una de ellas, con ocho años cumplidos, ya es toda una cocinera. Porque Mary no quería venir, ni Hannah.

—No —dijo Sarah, con una voz un poco somnolienta—. Hannah... no... quería... venir..., ni Mary. Es estupendo que... me... guste... cocinar.

Pero, de pronto, se sintió muy sola; echaba de menos a su madre y a su gran familia de hermanas y hermanos. John...

David... Stephen... Hannah... Margaret, que tenía tres años..., el bebé... Pero y ella..., ¿de verdad *sabía* cocinar? Nunca había hecho una tarta.

—A lo mejor... no... se necesitaban... tartas... en... las tierras salvajes. Debes ser valiente..., Sarah Noble. Ten...

Y, agarrando con fuerza un pliegue de su cálida capa, Sarah se durmió.

Ahora el lobo estaba muy lejos. Pero Thomas, que había levantado la cabeza en cuanto lo oyó, aún estaba con las orejas tiesas... escuchando.

El padre de Sarah estaba allí sentado; preguntándose si había hecho bien en traer a aquella niña a las tierras salvajes. Cuando las primeras luces de la mañana se colaron por entre los árboles, aún estaba despierto.

Capítulo 2

Noche en el campamento

La noche siguiente fue muy distinta. Al atardecer llegaron a un campamento. Las casas, de color marrón, eran acogedoras. En dos de ellas las ramitas de pino que se usaban en lugar de velas ardían ya. Brillaban a través de las ventanas, con una cálida luz dorada que parecía decir: «¡Bienvenida, Sarah Noble!»

Sarah, a lomos de Thomas, bajó la mirada hacia su padre, que caminaba a su lado.

Había sido un largo día, y el sendero a través del bosque no resultó fácil.

—¿Vamos a pasar aquí la noche, padre?

—Sí —dijo su padre—. Y dormirás a salvo en una casa caliente.

Sarah suspiró de placer.

—Padre, bájame y deja que camine. El pobre Thomas lleva demasiado peso y no debería cargar conmigo durante mucho tiempo.

Por eso, cuando llegaron a la cabaña donde las velas de madera estaban encendidas tan temprano, los tres iban caminando.

Llamaron a la puerta. Se descorrió el cerrojo y en la puerta apareció una mujer que les observaba.

«No es como mi madre —pensó Sarah—. Su cara no parece la de una madre.»

La mujer aún continuaba de pie, mirándolos.

—Buenas noches —dijo el padre de Sarah—. Soy John Noble, de la colonia de Massachusetts, y ésta es mi hija, Sarah. Vamos a New Milford, donde he comprado un terreno para construir una casa.

¿Sabe usted dónde podríamos pasar la noche?

La mujer los miró, aún sin sonreír.

—No hay mucho sitio —dijo—. Pero podéis compartir lo que tenemos. Mi marido, Andrew Robinson, está de viaje... Pensé que eran indios, que andaban merodeando. Si no les importa dormir junto al fuego...

—Dormimos en el bosque la última noche —dijo John Noble—. Así que cualquier sitio bajo techo nos parece muy bien.

Entonces entraron, y Sarah vio a los niños que estaban en la casa. Había cuatro, dos niños y dos niñas; todos la miraban fijamente con unos ojos grandes y redondos. Ella empezó a sentir vergüenza. Además, ahora estaba sola, porque su padre había ido a ocuparse de Thomas, y a traer la manta de Sarah, para que ella pudiese dormir encima.

—A la mesa —dijo la señora Robinson—. Puedes compartir todo lo que tenemos. Lemuel, Abigail, Robert, Mary, ésta es Sarah Noble.

Sarah sonrió tímidamente a los niños.

—Quítate la capa, Sarah.

Pero Sarah la sujetaba con fuerza.

—Si no le importa —dijo— me la voy a dejar puesta... Tengo un poco de frío.

Los niños se rieron. Sarah se sentó a la mesa, y en unos minutos su padre estaba con ellos. Sarah dejó que la capa se deslizara de sus hombros.

—Te la voy a colgar —dijo Abigail—. Es una capa preciosa, debe de ser muy calentita.

Sus dedos acariciaban la capa con cariño, mientras la colgaba de una percha.

—Y es de un rojo precioso —dijo—. Me gustaría tener una capa nueva.

—No necesitas una capa nueva —dijo su madre, en tono brusco.

Entonces la señora Robinson comenzó a hacer preguntas. Y a medida que John Noble respondía, se puso a cacarear y alborotar igual que podría haberlo hecho la madre de Sarah. Pero, de todas maneras, la madre de Sarah alborotaba de un modo encantador.

—Llevar a esta querida niña a las praderas con esos salvajes paganos... y no tendrá más que siete años...

—Ocho —dijo Sarah—. Aunque mi madre dice que no estoy muy alta para mi edad.

—Pues ocho. ¿Y qué vas a hacer allí tan sola?

—Mi padre está conmigo —dijo Sarah.

Los ojos de los niños se habían hecho más grandes y más redondos. Se echaron a reír, y los más pequeños señalaron a Sarah.

—Se va a vivir allá lejos en los bosques.

—Te comerán los indios —dijo Lemuel, y se relamió.

—Te van a cortar la cabeza —añadió el pequeño Robert con una amplia sonrisa inocente.

—No me harán daño —dijo Sarah—. Mi padre dice que los indios son amigos.

—Te van a despellejar viva —ése era Lemuel.

—He oído decir que son amistosos —intervino rápidamente la señora Robinson—. Los hombres que compraron la tierra les pagaron un precio justo.

—Y les prometieron que seguirían teniendo derecho a pescar en el río Grande —dijo John Noble.

—Te van a cortar la cabeza —dijo Robert, y con la mano hizo como si se rebanara el cuello.

Sarah sintió un pequeño mareo. Aquello era peor que los lobos en la oscuridad. Sus hermanos no eran como estos niños... Pero ella había oído historias de los indios. Quizá..., quizás aquellos indios habían cambiado de opinión en lo de ser amistosos.

Se alegró cuando todos los niños se fueron a la cama. Todos menos Abigail, que hablaba con voz dulce.

—No hagas caso a los niños —le susurró—. Bromean.

Pero Sarah sí les hacía caso. Si Stephen estuviera allí, no se atreverían a burlarse de ella, pensó.

Por fin hubo silencio. Todos los niños estaban en la cama, y Sarah descansaba sobre su manta junto al fuego. La señora Robinson la arropó con cariño, y por un momento se pareció un poco a la madre de Sarah.

Entonces dijo:

—Tan pequeña, tan pequeña... ¡Qué pena!

—Por favor, me gustaría que me trajera mi capa —dijo Sarah.

—Pero estás bien abrigada...

—Ahora... tengo un poco de frío.

La señora Robinson le puso la capa por encima.

—Como quieras, niña. Pero debes de tener la sangre muy débil.

Sarah tomó un pliegue de la capa en la mano y lo agarró con fuerza. Cuando cerraba los ojos veía imágenes en la oscuridad. No eran imágenes agradables. Ante ella se elevaban kilómetros y kilómetros de árboles.

Árboles oscuros y amenazadores, árboles que se agolpaban unos contra otros; árboles y más árboles; más y más árboles. Detrás de los árboles había hombres que se movían... ¿Serían indios?

Aferró la cálida tela de su capa aún con más fuerza.

«¡Ten valor, Sarah Noble! ¡Debes ser valiente!», murmuró para sí.

Pero pasó bastante tiempo antes de quedarse dormida.

Capítulo 3
Al pie de la colina larga

Por fin había llegado el último día de viaje. El sendero de los indios era estrecho, las colinas subían y bajaban, subían y bajaban. Sarah y su padre estaban cansados, incluso Thomas parecía estar agotado.

Al atardecer llegarían a casa. ¿A casa? No, no era su verdadero hogar, sólo un lugar en medio de las tierras salvajes. Pero con el tiempo sería su hogar, John Noble le dijo a Sarah que lo sería. Su voz la animaba a continuar.

—Ahora debemos de estar a unos tres kilómetros.

—Ahora seguro que falta sólo un kilómetro... ¡un kilómetro!

Los pies agotados de Sarah parecían bailar.

Recogió algunas flores silvestres y las metió en los arneses, detrás de la oreja de Thomas.

—Tienes que estar bien guapo, Thomas —dijo—. Estamos llegando a casa.

Se puso una bonita flor de color rosa en el vestido y sus pies bailaron ligeramente de nuevo.

Entonces, de pronto, se detuvo muy rápidamente.

—Padre, si no hay casa, ¿dónde vamos a vivir?

Su padre sonrió.

—Ya te lo he contado.

—Pues cuéntamelo otra vez. Me gusta oírlo.

—Espero encontrar una cueva en la ladera de la colina —dijo—. Haré una cabaña para los dos, y una valla alrededor. Thomas, tú y yo viviremos en ella hasta que la casa esté construida. Thomas tendrá que ayudarme a construirla.

Sarah se rió:

—¡Thomas no puede construir una casa!

Tenía en la cabeza una imagen divertida: el solemne Thomas, con su cara larga, colocando los troncos en su sitio con mucho cuidado.

—Puede arrastrar los troncos —dijo su padre—. Pronto tendremos una bonita casa como la de la señora Robinson.

—No —dijo Sarah—. Como la nuestra.

—¿Y por qué no como la de la señora Robinson?

—Porque no hay amor en aquella casa —dijo Sarah.

—Eres demasiado despierta para tu edad —le dijo su padre.

Ahora habían llegado a la cima de una larga colina muy empinada y se detuvieron en un lugar donde no había muchos árboles; sólo arbustos y maleza.

—Éste es uno de los claros —dijo John

Noble—. Los indios lo han despejado para poder cazar aquí.

Sarah miró a su alrededor asustada. Algo se agitaba tras los arbustos...

—Un ciervo —dijo su padre, y alzó su rifle.

Pero Sarah se colgó de su brazo.

—¡No, padre, no! ¡No le dispares!

—Pero tenemos que conseguir carne...

—Ahora no, ahora no —rogó Sarah—. Tiene unos ojos tan dulces, padre...

—Bueno... —dijo John Noble. Pero no disparó.

El ciervo se escapó a todo correr, mostrando su rabo blanco como una bandera. Entonces Sarah respiró hondo y bajó la mirada.

Debajo había un valle.

—Si no fuera por los árboles, verías el Río Grande —dijo su padre.

Sarah miró y miró y se empapó de la belleza de aquel lugar. Una belleza que la acompañaría durante toda su vida. Más allá del valle había colinas verdes y más allá... y más allá... y más allá... más colinas, de un extraño, suave y velado color azul.

Los árboles tenían el verdor oscuro de los pinos y el verde claro de los nogales en primavera.

Y ahora eran acogedores. Ya no eran los fieros y oscuros árboles que parecían cerrarles el paso cuando venían.

—Me gusta —dijo Sarah—. Y no veo ningún indio.

—Los indios están a orillas del Río Grande —le dijo su padre—. Y ya te he dicho, Sarah, que estos indios son muy buenos.

—Pero Lemuel dijo...

John Noble tomó la pequeña y fría mano de Sarah.

—La señora Robinson debería enseñar a sus hijos a medir sus palabras. También debería medir las suyas. Hay personas en el mundo que no ayudan a los demás; pero otras sí que lo hacen. En nuestro hogar, Sarah, todos serán tratados siem-

31

pre con amabilidad. Los indios también; y no nos harán daño.

Ahora Sarah tenía un poco más de valor. También se agarraba con fuerza a la mano de su padre. Y así llegaron, con Thomas, al pie de la colina larga; al sitio que sería su hogar.

Capítulo 4
Noche en la cueva

Era un buen trozo de tierra, ya despejado de árboles. Unos hombres habían llegado de Milford, en la costa, para comprar tierras a los indios. Las habían despejado y dividido en parcelas para las casas. La tierra se inclinaba hasta el Río Grande, y más allá del río estaban los campos de los indios.

Fue en la colina que había al cruzar el río donde Sarah y su padre encontraron un lugar excavado en la roca, que les serviría para pasar la noche.

—Mañana lo agrandaré, construiré un cobertizo y una valla —dijo John Noble.

Descargaron a Thomas de los pesados bultos que había estado acarreando: sábanas y cazos, semillas para plantar, herramientas y ropa de abrigo para el tiempo que se avecinaba.

—Esta noche no tenemos por qué comer esta torta de maíz seco —dijo Sarah.

Resultó sencillo hacer un fuego al aire libre y cocinar una gran olla de potaje de judías. Lo comieron junto a la hoguera. Sólo se escuchaba la conversación nocturna de los pájaros.

Más tarde, cuando se acostaron, Sarah estaba tumbada mirando a la hoguera, que aún resplandecía fuera, en la oscuridad. En la cueva hacía frío; pero Sarah se encontraba cómoda. Bajo la manta, se había envuelto en su cálida capa.

Entonces comenzaron los sonidos de la noche. Sarah, tumbada, escuchaba. ¿Tenía valor, o tenía miedo?

Una rama se partió en la oscuridad.

—¿Padre?

—¿Sí, Sarah?

—No tengas miedo, padre, creo que es un búho... ¡Se ha ca... caído de una rama!

Se oían unas leves pisadas.

—¿Padre?

—Sí, Sarah.

—Eso a lo mejor es una marmota. No pueden ser los indios...

—No, claro que no —John Noble sonrió en la oscuridad.

De pronto llegó un olor extraño que le cortó la respiración a Sarah.

—¿Padre?

—Sí, Sarah.

—¡Es una MOFETA!

—Ya lo creo. Y me alegro de tenerte aquí, Sarah. Gracias a ti no me dejo asustar con todas esas visitas en verdad tan extrañas.

Sarah estaba orgullosísima. En verdad *tenía* valor y, gracias a ella, su padre también lo tenía. Aquello le gustaría a su madre.

Los sonidos de la noche se entretejieron en una composición agradable y tranquilizadora. Sarah intentaba mantener los ojos abiertos, pero se le cerraban.

El viento entre los árboles parecía poner palabras a sus pensamientos. ¿Qué decía? *Debes tener valor, Sarah Noble. Ten... ten... ten... ten...*

Entonces, al poco tiempo, se hizo de día. El sol estaba muy brillante.

Capítulo 5
¡Indios!

Durante algún tiempo, John Noble estuvo muy atareado para convertir la cueva en un lugar acogedor. Construyó un cobertizo con una fuerte valla alrededor. También hizo con troncos unas camas rústicas, una mesa y taburetes. Sarah estaba encantada con todo.

Pero, cuando todo estuvo terminado, le dijo a Sarah:

—Tengo que empezar a trabajar en la casa. Debe estar terminada antes del invierno. Sarah, ¿no te importará quedarte aquí, mientras Thomas y yo trabajamos?

A Sarah le importaba, pero no lo confesó. Todavía estaba el problema de los indios. En la colina y a lo largo del río se veían sus cabañas cubiertas de corteza. Había gente que se movía entre aquellas cabañas; pero ningún indio se había acercado a la cueva. Sin embargo, ella sabía que su padre había hablado con algunos de los hombres.

No quería que su padre se fuese, pero era preciso construir la casa.

Por eso, le miró con decisión y dijo:

—Me quedaré aquí, padre —pero se decía para sus adentros:

«¡Ten valor, Sarah Noble! Debes ser valiente.»

John Noble y Thomas cruzaron el río por un sitio que no era profundo. Siguieron adelante, subieron la colina, y Sarah se quedó sola. Estuvo un rato sin saber qué hacer. Entonces sacó una Biblia que habían traído. Era un libro lleno de historias maravillosas. ¿Cuál iba a leer? Le gustaba la historia de Sarah, su tocaya. Sarah tenía un hijo llamado Isaac. Aquella historia daba miedo, pero al final todo salía bien.

También estaba la historia de David y de cómo había matado al gigante... Vaya, era difícil escoger.

Sarah se sentó en un taburete a la entrada del cobertizo, con la Biblia en el regazo. Muchas veces se había sentado así y había leído en alto para su muñeca Arabella, y para su hermana pequeña, que nunca escuchaba. Aquí no había nadie que la escuchara. Nadie, ni siquiera Arabella, porque no tuvieron sitio para traerla.

La brisa de comienzos de junio era suave; pero Sarah notó, de pronto, que necesitaba su capa. Así que fue a buscarla y se sentó de nuevo.

No había nadie para escucharla; entonces, leería para sí misma. Abrió la Biblia y apareció una de las historias que más le gustaban.

Era la historia del niño Samuel y de cómo el Señor le llamó en medio de la noche. Sarah se imaginaba al Señor como un amable anciano igual que su abuelo. Su madre decía que nadie sabía qué aspecto tenía; pero Sarah estaba segura de que *ella* lo sabía.

Le gustaría tanto que Él le hablara, como a Samuel. Sería emocionante. Y ella, ¿qué le contestaría?

Sarah continuó y continuó leyendo. Entonces comenzó a oír ruidos. Eran unos crujidos y el sonido de unos pasos que, silenciosamente, se acercaban más y más...

Sarah se agarró con fuerza al libro y se arropó con la capa. Crujidos... crujidos... De pronto Sarah vio un ojo brillante, que la espiaba a través de una grieta en la valla de troncos.

¡INDIOS!

Estaban por todas partes, la rodeaban; algunos se amontonaban a la entrada de la empalizada. Pero eran indios pequeños, ninguno mayor que ella. De todas formas, eran muchos... Sarah se quedó quieta como un conejo en peligro.

Los niños entraron, arrastrándose más

y más cerca, como ratoncitos de campo marrones, hasta que rodearon a Sarah, mirándola.

Sarah cerró el libro y se quedó muy quieta. Entonces recordó lo que su padre había dicho cuando estaban en lo alto de la colina.

—Buenos días —dijo con educación—. Sed bienvenidos a nuestra casa.

Los niños indios la miraron fijamente. Y se acercaron más. Pronto, Sarah se dio cuenta de que a su alrededor había todo un corro de niños, de pie y sentados, observando con sus ojos oscuros. El sol de primavera lucía sobre sus cuerpos morenos, y Sarah se dio cuenta, con sorpresa, de que no llevaban ropa; a menos que se pudiera llamar «ropa» a aquel trocito de tela. Desde luego, Sarah se sentía muy bien vestida, y muy segura con su vestido y su capa y sus enaguas.

Los niños la miraban, y Sarah empezó a sentir como si aquellos ojos la estuvieran atravesando.

Debes tener valor, Sarah Noble. Aquellas palabras vinieron a su mente.

Aquí estaba, en medio de las tierras salvajes, con todos aquellos indios a su alrededor.

Deseó que el Señor le hablase, como había hablado al pequeño Samuel. Él le habría dicho lo que debía hacer.

El Señor no habló en alto; al menos, Sarah no le oyó. Pero de pronto supo qué hacer. Abrió el libro y comenzó a leerles a los niños. Se acercaron más y más.

«Les gusta la historia —pensó Sarah—. No me van a hacer daño porque les gusta la historia.»

Leyó y leyó, y los niños escuchaban; porque el sonido de su voz era extraño y agradable.

Entonces se terminó la historia y Sarah cerró la Biblia. Pero los niños seguían allí sentados; miraban y no decían nada.

—Mi nombre —dijo Sarah, pronunciando con mucha claridad— es Sarah Noble.

Uno de los chicos dijo algo, luego habló otro. Sarah no entendió ni una palabra de su extraño idioma.

—Qué tontería —dijo en alto—. ¿Por qué no habláis en inglés?

Quizás algo de su impaciencia se reflejó en su voz; porque el hechizo se rompió. Como el ciervo cuando su padre levantó el rifle, los niños se levantaron y se fueron.

Sarah estaba allí sentada y, ahora, se sentía sola de verdad.

—Vaya —se dijo—. ¡Me gustaría que volvieran! —Y sacudió la cabeza—: Qué vergüenza, Sarah Noble, me temo que no has sido muy educada. A lo mejor no vuelven nunca.

Capítulo 6
Amigos

Los niños indios volvieron otra vez, y otra y otra. Muy pronto, Sarah dejó de tenerles miedo; y ellos, de tener miedo de ella. Al principio todos los niños le parecían iguales a Sarah; más tarde, empezó a distinguirlos unos de otros. Dos de ellos le caían mejor que todos los demás. Eran hermano y hermana, un niño alto y serio y una niña pequeñita de ojos negros y vivarachos.

A veces Sarah intentaba leerles algo; pero después de la primera vez, dejaron de escucharla. Por eso, Sarah intentó enseñarles algunas palabras. Señalaba la mesa, el taburete, el fuego, y decía el nombre despacio, con mucha claridad. Luego los niños decían, o intentaban decir, las palabras, chillando de risa cuando sus lenguas se trababan con aquellos sonidos extraños.

Ellos, por su parte, le enseñaron dónde crecían las fresas silvestres. Entonces ella salía y llenaba una cesta de fresas, que parecían joyas rojas sobre la hierba.

Cuando John Noble llegaba a casa con un pato que había cazado, o un pez que había pescado en el río, se encontraba también que le estaba esperando una cesta de fresas maduras.

Cambiaban maíz a los indios, y lo machacaban con el pequeño almirez y el mortero que Thomas había traído en una de las alforjas.

Con él, Sarah hacía pasteles de maíz, cocinándolos en las cenizas. Y todo el tiempo pensaba en aquel pan tan bueno que hacía su madre, cocido en el horno. ¡Si ella tuviera un horno...!

—Necesito ayuda para levantar los troncos de la casa —dijo John Noble—. Hay un indio muy alto que ha prometido ayudarme. No sé pronunciar su nombre, así que le llamaré John el Largo. Sabe algo de inglés.

—Padre —dijo Sarah—. Los niños indios señalan hacia sus casas y quieren que vaya a visitarles. ¿Debería ir?

John Noble tardó en contestar. Estaba sentado con la cabeza entre las manos sin decir una palabra. Era su hija, y él la había traído a aquel lugar salvaje. Una y otra vez se preguntaba si había hecho bien. Porque, después de todo, ¿qué sabía él de aquella gente extraña?

Sarah esperaba a que su padre hablase. Finalmente, dijo:

—John el Largo tiene dos hijos, Sarah. Creo que son de los que vienen aquí. Estaré más tranquilo si vas a casa de John el Largo.

—¡Bien! —dijo Sarah—. ¡Los hijos de John el Largo son los que prefiero!

Por eso, a partir de aquel día, Sarah fue muchas veces a casa de John el Largo y de su mujer.

No sabía pronunciar aquellos nombres tan largos de los niños; así que al niño le llamaba Pequeño John y a la niña, Mary, en recuerdo de su madre.

Los niños indios la llamaban Sarah, porque ese nombre era fácil de pronunciar.

—¡Sar-ah, Sar-ah! —sus voces agudas y claras multiplicadas por el eco subían y bajaban por el valle, cuando jugaba con ellos y aprendía sus juegos.

—¡Sar-ah, Sar-ah, Sar-ah!

Capítulo 7
Debes tener valor

Cuando finalizaba el año, la casa estaba casi terminada. Una casita, muy pequeña en relación a aquellas tierras salvajes; y pequeña, también, comparada con los grandes arces que la rodeaban. La casa era marrón y los árboles vestían su mejor escarlata y amarillo.

Sarah y su padre, John el Largo y Thomas estaban de pie mirando hacia la casa. La gran chimenea prometía cálidos días y noches de invierno. Fuera había un montón de troncos, cortados y apilados en orden.

—Es una buena casa —dijo John Noble.

—Buena —dijo John el Largo, que nunca utilizaba dos palabras cuando bastaba con una; ni siquiera cuando hablaba en su propio idioma.

—Es una casa preciosa —dijo Sarah—. ¿Cuándo podremos vivir en ella? ¿Y cuándo vendrá mi madre..., y Stephen..., y Hannah?

Su padre no contestó en seguida. Miró a John el Largo. Y John el Largo asintió.

Entonces su padre tomó las manos de Sarah entre las suyas y la miró a los ojos.

—Sarah —dijo—. Has sido valiente, y ahora deberás ser aún más valiente. Tengo que ir a recoger a tu madre y a los niños. Está demasiado lejos para que tú vengas; será mejor que te quedes aquí.

—¿Quedarme aquí? ¿Sola? Tengo mucho miedo.

Se oyó a sí misma decir «miedo»; era la primera vez que pronunciaba aquella palabra en voz alta.

—He perdido el valor —dijo Sarah Noble.

—Estar asustado y comportarse como un valiente, es la mayor valentía de todas —dijo su padre—. Pero no debes tener miedo, porque no estarás sola. Sécate las lágrimas, Sarah. John el Largo y su mujer cuidarán de ti.

—¿Quieres decir...? —exclamó Sarah, sin creer lo que oía—. *¿Quieres decir que tengo que vivir con los indios?*

—Eso es lo que quiero decir —dijo su padre—. ¿Te parece muy duro?

Sarah pensó en ello. Los niños indios eran sus amigos. Ella quería a John el Largo y a su mujer. Pero quedarse con ellos, vivir en su casa, mientras su padre estaba de viaje... aquello era algo muy distinto.

Y, de nuevo, Sarah tuvo miedo. Pero sabía que Thomas iba a ser necesario para acarrear los enseres, cuando su padre regresara con la familia... Thomas y otros caballos. Y, desde luego, no habría sitio para que Sarah montara uno.

A la mañana siguiente, Sarah estaba

muy callada mientras daba vueltas a las gachas del desayuno.

—Sarah —dijo su padre—. Estarás segura con John el Largo y su familia.

—Pero —dijo Sarah—. ¿Qué pasa si vienen los indios del Norte? John el Largo les tiene miedo.

—Los indios del Norte no han venido desde hace mucho tiempo —dijo su padre—. Sabes que los indios montan guardia día y noche en la Colina de Vigilancia. Sarah, no te dejaría si pensara que no estás a salvo.

Pero se dijo para sus adentros: «¿Hago bien en dejarla?» Estaba preocupado.

La escarcha cubría el suelo cuando Sarah, de la mano de John el Largo, vio a su padre emprender el viaje.

Estaba envuelta en su capa con mucha fuerza.

No decía nada, pero su mente, siempre ocupada, imaginaba cosas... Árboles..., árboles..., árboles oscuros..., senderos estrechos a través del bosque..., lobos..., osos. ¿Y si su padre no regresaba nunca y ella tenía que vivir con los indios el resto de su vida?

Ahora su padre montaba a Thomas. Sarah acarició el morro del caballo. Su cara larga y solemne le parecía, de pronto, muy entrañable.

John Noble cabalgó muy deprisa...

Se volvió una, dos, tres veces, para saludar a una niña muy pequeña envuelta en una capa marrón rojizo.

Debes ser valiente, Sarah Noble.

Ahora estaba lejos..., más lejos. Los árboles le ocultaron y se perdió de vista.

Debes ser valiente, Sarah Noble.

Los dedos de Sarah estaban fríos en la mano de John el Largo, y las lágrimas que había estado aguantando le salpicaron la capa. John el Largo la subió sobre sus hombros.

Luego se fueron, a grandes zancadas, colina abajo, al otro lado del río, a casa de John el Largo.

Capítulo 8

En la cabaña india

La primera noche fue la más extraña. Sarah había pasado el día jugando con los niños. No hablaban con las mismas palabras; pero acababan por entenderse. Cuando no se entendían no importaba demasiado. Los amigos tienen formas de hablarse sin palabras.

Pero la oscuridad llegó pronto y Sarah se encontró en la casa con John el Largo y su familia. ¡Cómo echaba de menos a su propia familia! La cena no era como Sarah estaba acostumbrada. Los indios comían con las manos y no tenían platos. De todas formas, la carne estaba rica, y la mujer de John el Largo la había cocinado. A Sarah le gustaba cocinar; pero a veces se cansaba de hacerlo. Así que se tomó la comida y le gustó.

Cuando llegó la hora de acostarse, Sarah abrió el bolso que había preparado con tanto cuidado... El bolso que había recorrido todo el camino, desde su casa, sobre la grupa de Thomas. Los niños observaban, ansiosos. ¿Qué magia iba a sacar Sarah de aquella bolsa? Pero no había ninguna magia; sólo un camisón de invierno y un peine. Los niños observaron con interés, pero confusos, mientras Sarah se ponía el camisón. Sus ojos no se apartaron de ella mientras peinaba su largo cabello. Aquel largo cabello castaño de Sarah, era como la seda del maíz al final del verano. Los niños se acercaron y lo tocaron.

Entonces Sarah se arrodilló al pie de la cama baja, cubierta de pieles, para rezar sus oraciones como siempre lo hacía. Rezaba en voz alta, como lo había hecho cuando su padre estaba allí para escucharla. De nuevo se le saltaron las lágrimas, porque se sentía muy sola.

—Dios bendiga a mi padre y a mi madre y a mis hermanos y hermanas. Haz que el bebé esté fuerte y bien. Cuida..., cuida a mi padre y tráelo de vuelta a mi lado...

Se detuvo un momento; en parte porque se le ahogaba la voz; pero también porque no sabía si estaba bien rezar por un caballo.

Entonces continuó:

—Y cuida a Thomas en el camino. Y cuida de mí... y...

Ahora, de verdad, tenía que pararse a pensar. ¿Estaría bien rezar por los indios? ¿Se ocupaba Dios de los indios? De todas formas, podía preguntárselo...

—Por favor, Señor, si también te ocupas de los indios, bendice a John el Largo y a su mujer, y al Pequeño John y a Mary. Para siempre jamás. Amén.

Los niños oyeron sus nombres y miraron a su padre, con una pregunta en los ojos.

—Habla con su Gran Espíritu —dijo su padre—. Como nosotros hablamos con nuestro Gran Espíritu.

—Bien —dijo el Pequeño John, que era como su padre en eso de no malgastar palabras.

Capítulo 9
Noche de miedo

Los días de octubre eran cálidos y soleados. Las mujeres indias extendían el maíz para secarlo. Por la noche Sarah las ayudaba a cubrirlo con cuidado, para que el copioso rocío no lo mojase.

Había muchas cosas que hacer. La mujer de John el Largo enseñó a Sarah a trenzar cestas. Y como la ropa de Sarah era rígida y pesada, la mujer india le hizo prendas de piel de ciervo, como las que usaban los indios cuando refrescaba el tiempo. Ella le hizo también un par de mocasines de piel de ciervo. Los pies de Sarah quedaron ligeros y libres; ahora, ella caminaba con la suavidad de los niños indios.

A menudo pensaba en su familia. ¿Estarían ya en camino? ¿Tendrían miedo Hannah y Margaret de los lobos? Stephen seguro que no. Y el bebé... era demasiado pequeño para saber lo que significaba el peligro...

«Aquí no hay nada que temer —pensó— con John el Largo y su familia.» Pero *lo había*.

Los días agradables y tranquilos llegaron a su fin, y de pronto Sarah sintió que en el aire flotaban el miedo y la agitación.

Había más indios montando guardia en la Colina de Vigilancia. Los indios del Norte debían de estar acercándose.

Entonces Sarah casi no sabía si debía dormir por la noche. Imagínate que... Imagina... Pero, cansada de los largos días al sol, terminó por dormirse, siempre con un pliegue de la capa aferrado en su mano. Y antes de dormir, se dijo:

Debes ser valiente, Sarah Noble, ten valor.

De pronto, se despertó en medio de la noche y se puso a escuchar. John el Largo le había explicado, con palabras y gestos, que a lo largo de todo el Río Grande había colinas como la Colina de Vigilancia, donde los centinelas montaban guardia. Si los indios del Norte se acercaban, gritarían su mensaje de colina en colina... y los poblados estarían preparados.

Sarah escuchó y escuchó.

Una vez creyó oír un aullido largo y grave.

¿Sería aquélla la señal? ¿Se acercaban los indios del Norte? Esperó a que el poblado se despertara; pero todo estaba en calma. En la oscuridad, incluso podía oír la respiración tranquila de John el Largo y de su mujer, del Pequeño John y Mary, que dormían.

—¡Pero si no es más que un lobo! —dijo Sarah.

Pronto su corazón latía con calma y

también ella respiraba con tranquilidad, dormida.

Por la mañana John el Largo le contó que se había producido una alarma; pero había pasado el peligro.

Los poblados del río no iban a ser saqueados.

Así que olvidando todos los temores de la noche anterior, Sarah jugó con los demás niños. Jugaban a un juego muy bonito al calor del sol. Se quitaban los mocasines, los ponían en fila, y escondían

una piedra en uno de ellos. Sarah estaba muy contenta cuando le llegó el turno de adivinar... y acertó. ¡La piedra estaba en su propio zapato! En medio del juego se volvió. De pronto, tenía la sensación de que alguien la estaba observando.

¡Era su padre! Allí estaba John Noble, sin decir una palabra. Le salieron unas arrugas en los ojos como le salían cuando estaba contento, y dijo:

—¡Sarah! ¡Pensaba que eras uno de los niños indios!

—¡Padre! —dijo Sarah, y corrió hasta él—. ¿Ha venido mi madre?

—Ya estamos todos aquí —dijo su padre—. He venido para llevarte a casa. Pero, hija, creo que será mejor que te pongas tus propias ropas. ¡Si no, tu madre no te va a reconocer!

Entonces Sarah se puso su rígida ropa, prenda a prenda. Ahora pensaba que los botones eran un incordio; y, peor aún, las enaguas... Se dejó los mocasines puestos; porque sus pies se negaban a entrar en los pesados zapatos de cuero. Cuando estaba preparada para marcharse, vio que John el Largo la miraba con tristeza.

—Tú ir..., Sarah —dijo.

—Tengo que irme —dijo Sarah—. Ha llegado mi madre.

John el Largo no dijo nada; pero subió a Sarah sobre sus hombros, como lo había hecho tantas veces.

Capítulo 10
Sarah se va a casa

Pasaron al otro lado del río; Sarah iba subida sobre los hombros de John el Largo. Una vez, sólo una, se volvió a mirar la cabaña india. Habían sido buenos con ella, pero ahora se iba a su casa.

Aquellas palabras sonaban tan bien que las repitió una y otra vez para sus adentros mientras John el Largo vadeaba el río con cuidado.

Voy a casa..., voy a casa..., voy a casa...

¿La reconocería su madre, ahora que estaba alta y morena? ¿La reconocería la pequeña Mabel? ¿Había crecido Mabel?

¿Estaba más fuerte? Había sido un bebé tan nervioso y enfermizo...

Ahora trepaban colina arriba y se veía la casa marrón de troncos. Había alguien a la puerta; alguien que llevaba un vestido azul. Sí, era su madre, de verdad; realmente, era la madre de Sarah, y... ¡sí! ¡Tenía al bebé en brazos!

A su lado estaban Stephen y Mary... y Hannah... y la pequeña Margaret.

Sarah casi saltó de los hombros de John el Largo.

—Tranquila, Sarah —dijo su padre—. En seguida llegas.

¡De prisa, John el Largo, de prisa. Da los pasos más grandes. De prisa, John el Largo, mi madre me espera!

John el Largo, al notar los estremecimientos de emoción que sacudían el cuerpo de Sarah, la puso en el suelo.

—Tú ir, ahora —dijo—, mi hija.

Se dio la vuelta y regresó a su casa.

Sarah corrió con pasos ligeros y silenciosos hasta su casa.

Su madre había puesto al bebé en el suelo.

Maravilla de maravillas... ¡Mabel estaba dando unos cuantos pasos inseguros, agarrada a las manos de su madre! Sarah se arrodilló, extendió los brazos y el bebé fue hasta ella. Sarah sentía su cuerpecito, firme y fuerte. Si el bebé hubiera hecho el viaje antes... seguro que no habría sido así.

Ahora la madre de Sarah las abrazaba a las dos.

—¡Sarah, Sarah! ¡Cómo has crecido, niña! ¡Qué morena estás! —y en seguida—: ¿Qué son esas cosas horribles que llevas en los pies?

¡Ahora Sarah *sabía* que estaba en casa!

Fue un día de alegría y trabajo para la familia. Había que desempaquetar los enseres y encontrar un sitio donde colocarlo todo. Thomas había traído el taburete de Sarah... Ella en seguida lo puso junto al fuego.

—Madre —dijo, casi sin atreverse a

preguntar—, ¿habéis traído a Arabella? ¿O no había sitio para ella?

—Está aquí —dijo su madre—. No podíamos dejarla atrás. Aunque pensé que quizás eres ya mayor para ella, y podría servir para Margaret.

—Arabella es mi hija —dijo Sarah—. Y no soy demasiado mayor para ella.

Capítulo 11

Noche en la casa de troncos

Por la noche, cuando el bebé y Margaret estaban dormidas, Sarah, su madre, su padre y los niños mayores estaban sentados junto al fuego. La casita era caliente y cómoda.

—No me puedo imaginar —dijo la madre de Sarah— cómo tu padre fue capaz de dejarte sola con esos salvajes. Le dije cuatro cosas cuando volvió.

—Pero si ellos *no* son salvajes —dijo Sarah—. Son nuestros amigos, y la mujer de John el Largo cuida muy bien a sus hijos.

—Desde luego —dijo John Noble—.

Eso es cierto. Cuando volví encontré a Sarah tan limpia y..., y... bien vestida como cuando la dejé. La mujer de John el Largo es casi tan cuidadosa como tú, Mary.

La madre de Sarah no se creyó ni una sola palabra. *Eso* tendría que verlo con sus propios ojos, si se atrevía siquiera a mirar dentro de una de aquellas extrañas cabañas indias. Ninguna madre india podía ser tan buena madre como ella. Y desde luego no tan buena ama de casa.

—Tengo que acostar a Arabella —dijo Sarah. La oían hablar con la muñeca—. No tengas miedo, Arabella —le decía—. Aquí estás a salvo. Estos indios son nuestros amigos y nos avisarán si vienen los indios del Norte. Duerme bien, querida. Debes ser valiente, Arabella; ten valor.

El padre de Sarah le sonrió a la madre.

—Es bueno —dijo— que Sarah vuelva a ser una niña. Estos meses ha tenido que ser demasiado mujer.

Sarah, que lo había oído, se volvió:

—No soy una niña —dijo, estirándose—. Ves, soy alta; ya tengo casi nueve años; soy casi una mujer.

—Lo eres —dijo su madre.

—Cuando sea mayor —dijo Sarah—, seré madre y tendré doce hijos. Y a lo mejor —añadió— soy profesora. Les enseñé a los niños indios...

—Ya veremos —dijo su madre—. Pero si vas a ser profesora, tienes que volver a leer y escribir. Así que, Sarah, ya es hora de acostarse.

Muchas noches, a Sarah no le había gustado oír las palabras «hora de acostarse». Ahora le encantaba que su madre las dijera.

Aquella noche, Sarah durmió abrigada bajo las mantas. De una percha cercana colgaba su capa... ya no la necesitaba. Había tenido valor y eso era algo que siempre la acompañaría. Siempre... incluso cuando su capa estuviera toda desgastada.

Aquella noche, las imágenes de su mente eran agradables... La casa, la familia,

la lumbre y una puerta bien cerrada. La luz del fuego proyectaba hermosas formas en la oscuridad.

Sarah estaba acostada, en silencio. El viento cantó para ella entre los árboles, hasta que se quedó dormida.

Índice